Edition Schott

Clarinet Library · Klarinetten-Bibliothek

Paul Hindemith
1895 – 1963

Sonate in B
Sonata in B♭

für Klarinette in B und Klavier
for Clarinet in B♭ and Piano

(1939)

ED 3641
ISMN 979-0-001-04380-9

www.schott-music.com

SCHOTT

Mainz · London · Berlin · Madrid · New York · Paris · Prague · Tokyo · Toronto
© 1940 SCHOTT MUSIC GmbH & Co. KG, Mainz · © renewed 1968 · Printed in Germany

SONATE

I

Paul Hindemith
1939

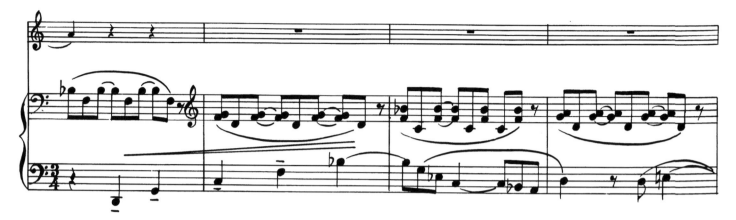

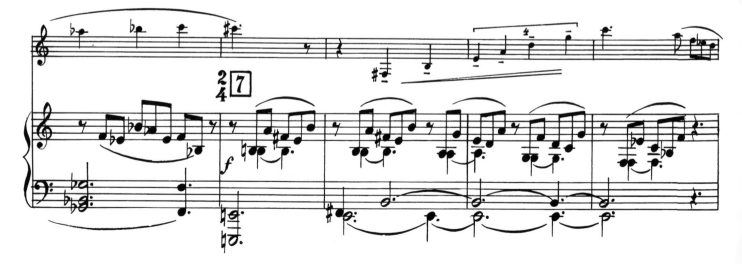

6

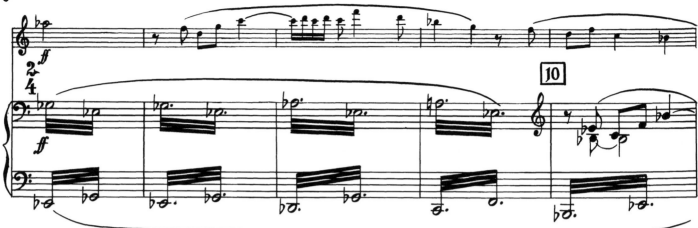

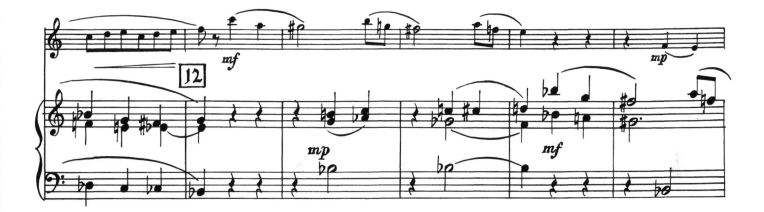

Langsamer,
ruhig

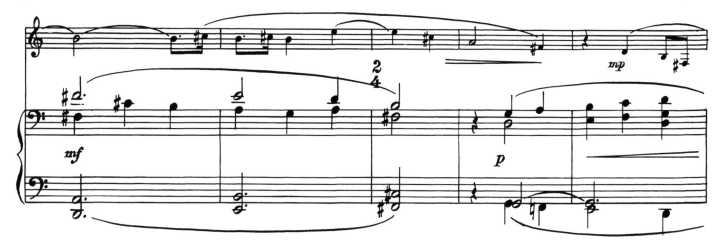

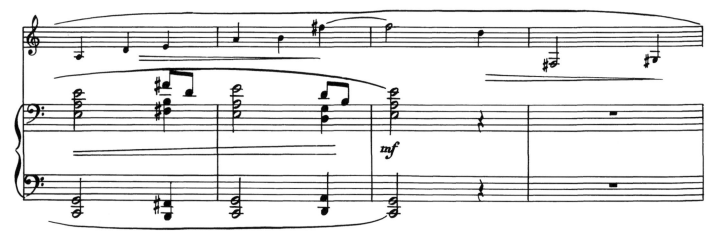

Wieder beruhigen

mf

Sehr ruhig

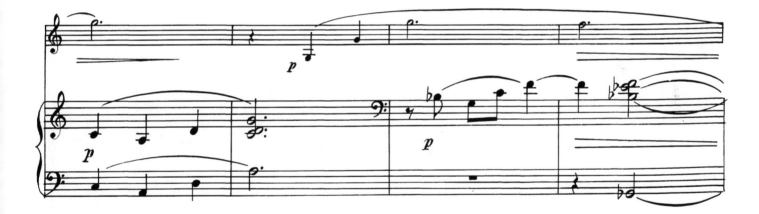

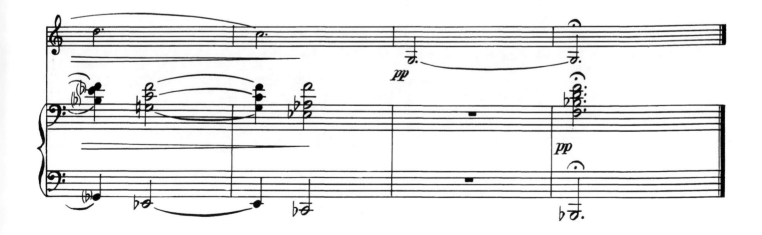

II

Lebhaft (♩ bis 92)

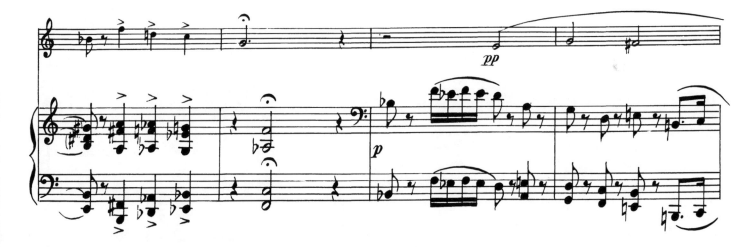

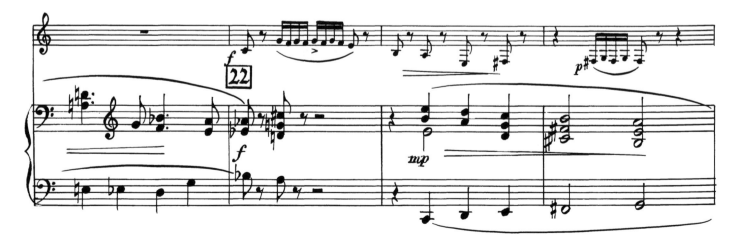

SONATE
I

Paul Hindemith
1939

Langsamer, ruhig

Vorangehen

Wieder beruhigen

Sehr ruhig

II

Lebhaft (♩ bis 92)

6

8

8

IV

Kleines Rondo, gemächlich (♩ 88)

Schott Music, Mainz 36 105

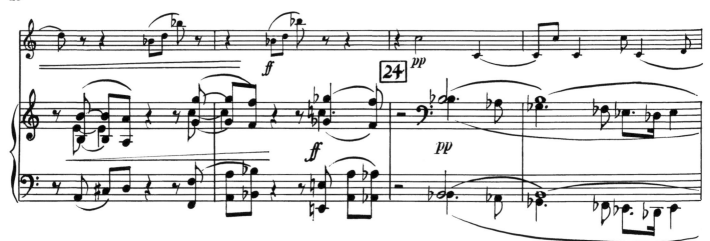

III

Sehr langsam (♪ etwa 60)

Sehr ruhig

Ein

wenig fließender

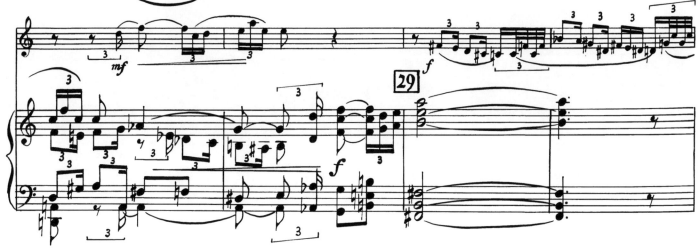

Wie am Anfang

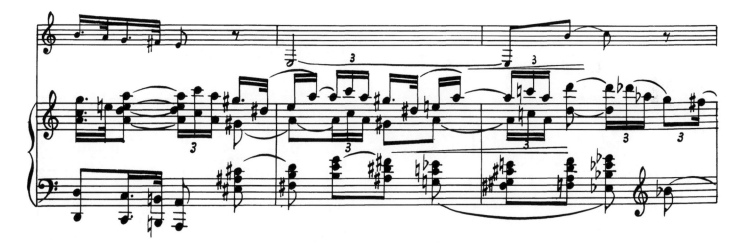

Sehr ruhig

32

IV

Kleines Rondo, gemächlich (♩ 88)

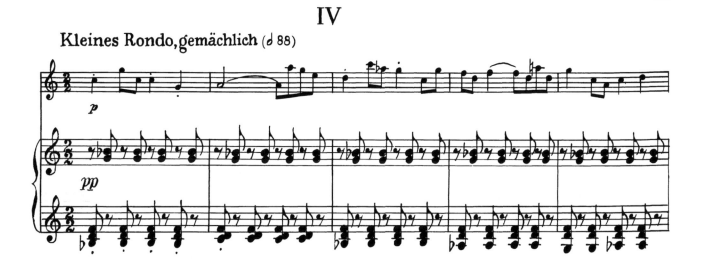